安房直子 絵ぶんこ 3

空《そら》にうかんだ
エレベーター

安房直子 文　えがしら みちこ 絵

大《おお》きな町《まち》の大通《おおどお》りに、子《こ》ども服《ふく》の店《みせ》ができました。

それは、とてもきれいな店《みせ》でした。

みがきあげられたショーウインドーの中《なか》には、青《あお》いビロードのワンピースがかざられ、そのとなりには、小《ちい》さな上着《うわぎ》とズボンがならびました。そして、そのまわりには、たくさんのおもちゃ！

「ほう、なかなかいい店《みせ》ができたねえ。」

「子《こ》ども服《ふく》の専門店《せんもんてん》なのね。」

人《ひと》びとは、そんなことをいいながら、通《とお》りすぎていきました。

ショーウインドーの中《なか》の子《こ》ども服《ふく》は、ときどきとりかえられます。春《はる》がおわって雨《あめ》の季《き》節《せつ》になれば、しゃれた黄《き》色《いろ》いレインコートがかざられ、夏《なつ》になれば、海《うみ》の色《いろ》をしたワンピースやシャツやズボンが、あふれるほど壁《かべ》にとりつけられました。

そして、秋《あき》がきたとき、大《おお》きなぬいぐるみのうさぎがかざられたのです。

そのうさぎは、子《こ》ども用《よう》のセーターを着《き》て、ズボンをはいていました。そして、ショーウインドーのまん中《なか》で、ピアノをひいていたのです。ピアノのまわりは、いちめんの落《お》ち葉《ば》でした。

「なんてすてきな飾《かざ》りつけ。」

人《ひと》びとは、ショーウインドーの前《まえ》で立《た》ちどまりました。そして、口《くち》ぐちに、うさぎの着《き》ているセーターをほめました。そのセーターには、革《かわ》のポケットと革《かわ》のひじあてがついていて、とても新《あたら》しいデザインだったのです。

「あのポケットが、すてきなのよ。」

「あたたかそうで、軽《かる》そうで、なんていいセーターでしょう。」

ショーウインドーのうさぎは、毎日毎日《まいにちまいにち》みつめられながら、ピアノをひいていました。朝《あさ》も昼《ひる》も、みんなが寝《ね》しずまった夜《よ》ふけまで。うさぎは、まるい目《め》をぴかぴかさせ、口《くち》をすこしとがらせていました。その顔《かお》は、ちょっとすねているようにも見《み》えました。

さて、このうさぎを、毎日《まいにち》見《み》にくる子《こ》どもがありました。

それは、やせっぽちの小《ちい》さな女《おんな》の子《こ》で、色《いろ》あせた服《ふく》を着《き》ていました。髪《かみ》の毛《け》はくしゃくしゃで、顔《かお》もよごれていました。けれども、その目《め》はあこがれでいっぱいでした。この子《こ》は、ショーウインドーのうさぎが大《だい》すきだったのです。

女《おんな》の子《こ》は、ガラスにぺったり鼻《はな》をつけて、うさぎのふっくりした耳《みみ》や、ピアノをひく手《て》を見《み》つめていました。そして、ときどき小《ちい》さい声《こえ》で、

「うさぎさん。」

と呼《よ》んでみるのでした。するとそのたびに、うさぎの耳《みみ》がぴくりと動《うご》くように思《おも》えました。

「うさぎさん、あたし、ともちゃんっていうの。」

女《おんな》の子《こ》は、息《いき》をとめて、じっとうさぎを見《み》つめます。耳《みみ》をすまして、うさぎのひくピアノの音《おと》を聞《き》こうとします……。

すると、ああ、いつかほんとうにピアノの音《おと》が聞《き》こえてくるのでした。

日《ひ》の光《ひかり》が、こぼれるような高《たか》い音《おと》。

海《うみ》の波《なみ》が、うねるようなひくい音《おと》。

そして、その高《たか》い音《おと》とひくい音《おと》が、まじりあって生《う》まれるすばらしいメロディー。

「うさぎさん、ピアノうまいのねえ。」

思《おも》わず女《おんな》の子《こ》は、さけびました。

すると、このとき、うしろで大《おお》きな声《こえ》がしました。

「あんまり、ガラスにさわらないで。」

びくっとして、ふりむくと、そこに

は店《みせ》の人《ひと》がこわい顔《かお》をして立《た》っていました。

「ほら、ガラスが、こんなにくもってしまったじゃないの。あんたが、鼻《はな》をくっつけるからよ。」

女《おんな》の子《こ》は、おそろしそうに店《みせ》の人《ひと》を見《み》あげました。すると、店《みせ》の人《ひと》はゆっくりといいきかせました。

「このガラスはね、わたしが、いつもぴかぴかにみがいているの。だから、きたない手《て》でさわらないでほしいの。わかる？」

女《おんな》の子《こ》は、小《ちい》さくうなずきました。

「そう、わかったら早《はや》くお帰《かえ》りなさい。そして、もうあんまりこないでね。」

女《おんな》の子《こ》は、だまってあとずさりしました。そして、なごりおしそうにうさぎを見《み》つめました。

このとき、ふと、うさぎが片目《かため》をつぶったように思《おも》われました。

（ええ？）

女《おんな》の子《こ》は目《め》をこらして、よくよくうさぎを見《み》つめました。うさぎは、片目《かため》をつぶったまま、ピアノにあわせてうたっていました。

満月《まんげつ》の　晩《ばん》に
また　会《あ》いましょう
こっそりと　こっそりと
出《で》ていらっしゃい

「わかったわ。」

女《おんな》の子《こ》は、そうさけぶと、くるりと向《む》きをかえて、帰《かえ》っていきました。

やれやれと、店《みせ》の人《ひと》はショーウインドーをふきました。女《おんな》の子《こ》の立《た》っていたあたりを、とくべつ念《ねん》入《い》りに、きゅっきゅっきゅっとみがきあげて、それからほっとしたように店《みせ》の中《なか》にはいっていきました。

それから、しばらくのあいだ、あの女《おんな》の子《こ》はきませんでした。
町《まち》を吹《ふ》く風《かぜ》が、すこしつめたくなりました。うさぎの着《き》ているセーターは、ますます人気《にんき》がでました。
うさぎは、毎日《まいにち》ピアノをひきつづけ、小《ちい》さな、小《ちい》さな声《こえ》でうたっていました。

満月《まんげつ》の　晩《ばん》に
また　会《あ》いましょう
こっそりと　こっそりと
出《で》ていらっしゃい

満月《まんげつ》は、もうすぐでした。

三日月《みかづき》が、すこしずつすこしずつ、ふくらんでいきます。まるで、黄色《きいろ》い花《はな》のつぼみがふくらむように……。

そして、ある晩《ばん》、とうとうまんまるの月《つき》が東《ひがし》のビルの上《うえ》にのぼりました。そのとき、町《まち》の時計塔《とけいとう》の鐘《かね》はなやかに鳴《な》り、ショーウインドーはきらきらと光《ひか》りました。

その夜《よ》おそく、横断歩道《おうだんほどう》をあの女《おんな》の子《こ》がわたってきました。女《おんな》の子《こ》は、ショーウインドーの前《まえ》までくると、コツコツとガラスをたたいて、

「うさぎさん、あたし、ともちゃんよ。とうとうきたわ。ベッドからこっそりぬけだしてきたのよ。お母《かあ》さんには見《み》つからなかったわ。」

といいました。

すると、うさぎは、ピアノのいすからすっくりと立《た》ちあがったのです。そして、

まぶしそうに、月《つき》を見《み》あげたのです。ともちゃんは、おどりあがりました。

「うさぎさん、動《うご》けるのね！」

うさぎはうなずいて、ショーウインドーの前《まえ》まで歩《ある》いてくると、ガラスをこすりはじめました。両《りょう》手《て》で、きゅっきゅっと、まるでガラスみがきをするように。ともちゃんも、反《はん》対《たい》側《がわ》からまねをします。ガラスにはっはと息《いき》をかけながら、いっしょうけんめいこすります。すると、ガラスは、まるで氷《こおり》がとけるようにうすくなっていって……、やがて、うさぎの手《て》と、ともちゃんの小《ちい》さな手《て》が、ぴったりくっついたではありませんか。

「うわあ、ガラスがなくなってしまった。」

ともちゃんは、目《め》をまんまるにしました。うさぎはうなずいて、

「そう。月《つき》の光《ひかり》でとけてしまったのさ。」

そういうと、ぴょんと外《そと》にとびだしました。それから、ともちゃんの手《て》をしっかりとにぎって、

「さあ行《い》こう。月《つき》がしずむまで、ぼくは自由《じゆう》だよ。」

といったのです。

ふたりは手《て》をつないで、町《まち》の大通《おおどお》りを走《はし》っていきました。

横断歩道《おうだんほどう》をいくつもわたり、公園《こうえん》を通《とお》りぬけ、橋《はし》をわたって、まだ走《はし》りました。

走《はし》っても走《はし》っても、夜《よる》の町《まち》はつづいていました。

「どこまで行《い》くの？」

走《はし》りながら、ともちゃんが聞《き》きました。

「お月《つき》さまに、いちばん近《ちか》いところまで。」

と、うさぎは答《こた》えました。

「お月《つき》さまに、いちばん近《ちか》いところ？」

目《め》をまるくして、ともちゃんがくりかえしたときです。ともちゃんは、これまで見《み》たことのないような、大《おお》きなビルの前《まえ》に立《た》っていたのです。見《み》あげると、これはまあ、何十階建《なんかいだ》てでしょうか。四角《しかく》い窓《まど》が、だんだん小《ちい》さくなりながら、上《うえ》へ上《うえ》へとつづいています。

「すごーい。これ、いったい何階建《なんがいだ》て？」

ともちゃんは、首《くび》がいたくなるほどそっくりかえって、ビルの窓《まど》をかぞえようとしました。ところが、うさぎは、ともちゃんの手《て》をぐいぐいひっぱって、ビル

の中《なか》にはいっていきます。

「さあ、いそがなくちゃ。エレベーターがでてしまうよ。」

ビルの中《なか》には、エレベーターがぽっかりと四角《しかく》い口《くち》をあけていました。

「これにのるんだ。」

ふたりは、エレベーターにとびのりました。そのとたんエレベーターは、どきっとふるえて、ドアがしまりました。そして、動《うご》きだしたのです。上《うえ》へ上《うえ》へ、どこまでも上《うえ》へ……。

エレベーターの中《なか》は、まっくらでした。とびらの横《よこ》に、ぎっしりとついた小《ちい》さなボタンの光《ひかり》だけが、ぼうっと青《あお》く、それが上《うえ》へ上《うえ》へとうつっていきます。十階《かい》、二十階《かい》、三十階《かい》、五十階《かい》……、それでもまだまだあがります。

「すごい、すごい。」

と、ともちゃんは、手《て》をたたきました。

「そうともそうとも、天《てん》まで行《い》くんだ。」

うさぎは、エレベーターの中《なか》で足《あし》ぶみしました。ともちゃんは、じっとエレベーターのボタンを見《み》つめます。エレベーターは、もうとっくに百階《かい》をこしました。耳《みみ》をすますと、とびらの外《そと》で、ゴーゴーとふしぎな音《おと》が聞《き》こえます。

「あれは、なんの音《おと》？」

と、ともちゃんは聞《き》きました。

「あれは風《かぜ》の音《おと》。」

と、うさぎは答《こた》えました。それからしばらくして、うさぎは耳《みみ》をぴくぴくさせながら、

「あれは、雲《くも》の動《うご》く音《おと》。」

といいました。それから、またしばらくして、

「あれは、月《つき》の光《ひかり》がゆれる音《おと》。」

といいました。ともちゃんは目《め》をつぶって、じっと耳《みみ》をすましましたが、もうなんにも聞《き》こえません。

「うさぎさんは、耳《みみ》がいいのねえ。」

目《め》をまるくして、ともちゃんがそういったとき、ふいにエレベーターの中《なか》が、ほーっと明《あか》るくなりました。まるで、きゅうに夜明《よあ》けがきたように……。おどろいて、あたりを見《み》まわしますと、なんとエレベーターは、すきとおった四角《しかく》い箱《はこ》になって、空《そら》にうかんでいたのです。

「すてき！　このエレベーター、ビルをつきぬけてしまったのね。」

と、ともちゃんはさけびました。うさぎは、とくいそうにうなずいて、

「いいでしょ。空《そら》にうかんだガラスの箱《はこ》だよ。」

といいました。

そこからは、大《おお》きな月《つき》が手《て》にとるように見《み》えます。見《み》おろせば、町《まち》のあかりが豆《まめ》つぶほどにきらめいていて、それは、まるでビーズの箱《はこ》をひっくりかえしたようでした。

「すてき、すてき。」

と、ともちゃんは手《て》をたたきました。

「いいでしょ。」

うさぎは、またとくいそうに話《はな》します。

「ぼくは、満月《まんげつ》のたびにここにくるんだよ。お月《つき》さまにいちばん近《ちか》いところまできて、月《つき》の光《ひかり》をいっぱいにあびるんだよ。」

「いいわねえ……。」

と、ともちゃんはため息《いき》をつきました。そして、思《おも》ったのです。いつまでもうさぎといっしょに、こうして空《そら》にうかんでいたいなあと。

月《つき》の光《ひかり》をあびて、ともちゃんの洋服《ようふく》は金色《きんいろ》に見《み》えました。セーターを着《き》たうさぎと、金色《きんいろ》の服《ふく》を着《き》た女《おんな》の子《こ》をのせて、そのエレベーターは、まるで空《そら》にうかんだショーウインドーのようでした。

ともちゃんは、また思《おも》いました。わたしも、いつか洋服屋《ようふくや》さんになって、こんなショーウインドーを持《も》ちたいなあと。ともちゃんのお母《かあ》さんは、家《いえ》でいつもミ

シンをかけていました。くる日《ひ》もくる日《ひ》も、よその人《ひと》の洋服《ようふく》をぬっていました。

「このつぎは、ともちゃんのをつくってあげるからね。」

お母《かあ》さんは、ときどきそういいましたが、自分《じぶん》の子《こ》どもの服《ふく》をぬうひまはすこしもなかったのです。

「わたしは大《おお》きくなったら、洋服屋《ようふくや》さんになるの。そして、自分《じぶん》のお店《みせ》を持《も》つの。」

と、ともちゃんはいいました。

「もうすこししたら、ミシンをならって、ミシンがじょうずになったら、お金《かね》をためて、お店《みせ》を買《か》うの。そして、すてきなショーウインドーをこしらえるの。」

うっとりと、ともちゃんはつづけます。

「そうしてそのときは、ねえ、うさぎさん。あなた、わたしのお店《みせ》にきてくれる？　わたしはあなたにもっといろいろな洋服《ようふく》着《き》せてあげるから。」

「そりゃいい！」

うさぎは、ぽんと手《て》をたたいて、

「早《はや》く大《おお》きくなってくださいね。そして、早《はや》くお店《みせ》をだして、ぼくをむかえにきてくださいね。」

といいました。

それから、うさぎは、ズボンのポケットから小《ちい》さいはさみをとりだしました。そして、それを天《てん》にかざして、じょきじょき動《うご》かしたのです。まるで、空《そら》からぶらさがった大《おお》きな布《ぬの》を切《き》りとるように……。

「さあ、これからいいことして遊《あそ》ぼう。月《つき》の光《ひかり》で洋服《ようふく》つくるんだよ。」

うさぎは、たったいま切《き》りとったばかりの布地《ぬのじ》を、両手《りょうて》でささげもっていました。

「わかった。洋服屋《ようふくや》さんのつもりになるのね！」

ともちゃんは、おどりあがりました。つもりになるのなら、だれにも負《ま》けません。ともちゃんは毎日《まいにち》たったひとりで、ままごとに、お店屋《みせや》さんごっこに、お姫《ひめ》さまごっこをして、遊《あそ》んでいるのですから。ともちゃんは、うさぎから布地《ぬのじ》を受《う》けとって、うっとりといいました。

「まあ、月《つき》の光《ひかり》の色《いろ》ね。すきとおっていて、すてきな黄色《きいろ》で、それに、なんて軽《かる》いんでしょう……。」

このとき、ともちゃんの目《め》には、月《つき》の光《ひかり》の布地《ぬのじ》がはっきりと見《み》えたのです。

「それじゃ、わたしは、ミシンのしたくをするわ。」

ともちゃんは、ミシンのふたをあけて油《あぶら》をさします。糸《いと》をミシンにかけて、針《はり》のぐあいをたしかめて、そして、月《つき》の光《ひかり》のうすい布《ぬの》で、マントをこしらえはじめたのです。

うさぎは、ともちゃんにたずねます。

「月《つき》の光《ひかり》のマントには、どんなボタンがにあうかなあ……。」

「そうねえ……。」

ともちゃんは、しばらく考《かんが》えてから、にっこりわらっていいました。

「ボタンよりもリボンがいいわ。星《ほし》の光《ひかり》を編《あ》んで、銀《ぎん》のリボンをつくりましょう。そうして、それをマントにぬいつけて、えりのところで結《むす》びましょう。」

「そりゃいい。新《あたら》しいデザインだ。」

「ええ。空《そら》の洋服屋《ようふくや》さんにぴったりの服《ふく》よ。」

うさぎは、空《そら》にむかって、片手《かたて》をのばしました。そして、こんな歌《うた》をうたったのです。

星《ほし》の光《ひかり》よ　落《お》ちといで
くもの糸《いと》より　なお　ほそく
絹糸《きぬいと》よりも　つややかに
ひかって　ひかって　落《お》ちといで

すると、どうでしょう。星《ほし》の光《ひかり》がひと

すじ、空《そら》からつうっと落《お》ちてきて、うさぎの右手《みぎて》にとどいたではありませんか。
うさぎは、またうたいます。

星《ほし》の光《ひかり》よ　落《お》ちといで
やなぎの糸《いと》より　やわらかく
ハープの糸《いと》より　輝《かがや》いて
いそいで　いそいで　落《お》ちといで

星《ほし》の光《ひかり》は、いくすじもいくすじも落《お》ちてきました。それはもう、ほんとうにつややかな銀色《ぎんいろ》の糸《いと》のたばです。いつのまにか、うさぎの両手《りょうて》は銀《ぎん》の糸《いと》でいっぱいになりました。

「さあ、いそいで、いそいで三《み》つ編《あ》みだ。」

うさぎは、はりきって星《ほし》の光《ひかり》を編《あ》みはじめました。まるで、女《おんな》の子《こ》のおさげを編《あ》むように。星《ほし》の光《ひかり》の三《み》つ編《あ》みは、どんどん長《なが》くなります。ともちゃんも一心《いっしん》にミシンをかけます。ミシンは、カタカタとかろやかに鳴《な》り、いつかすてきなマントが二枚《まい》できあがりました。そのえりもとに、うさぎの編《あ》んだ銀《ぎん》のリボンをぬいつけると、これはもうすばらしいできばえです。

「さあ、着《き》てみよう。」

ふたりは、できたてのマントを着《き》ました。

「なんてすてきな着《き》ごこちかしら。軽《かる》くて、やわらかくて……。」

羽根《はね》のようにうすいマントは、ふわりとひろがりました。ともちゃんは、泳《およ》ぐように両手《りょうて》を動《うご》かして、

「このまま外《そと》に出《で》たら、空《そら》をとべるかしら。」

といいました。

「やってみよう。」

うさぎは、そっとエレベーターのとびらをあけてみました。つめたい風《かぜ》が、ひゅっと吹《ふ》きこんできて、ふたりのマントは、ふうわりとふくらみました。

「チャンス！」

うさぎは、そういうと、エレベーターの外《そと》へとびだしたのです。そして、両手《りょうて》をひろげて、宙《ちゅう》にうかんだのです。

「ほうら、とべるよ。」

ともちゃんも、まねをしました。

ふたりは、高《たか》い高《たか》い空《そら》の上《うえ》に、ふわりとうかんでいました。胸《むね》のところで銀《ぎん》の

リボンが、きらきら光《ひか》ります。

月《つき》の光《ひかり》をいっぱいにあびて、ふたりは空《そら》をとびました。このとき、ともちゃんの耳《みみ》には雲《くも》の動《うご》く音《おと》も、月《つき》の光《ひかり》のこぼれる音《おと》も、ちゃんと聞《き》こえたのです。ああ、わたしの耳《みみ》、うさぎさんの耳《みみ》とおなじになったわ、とともちゃんは思《おも》いました。

遠《とお》くで、たくさんの星《ほし》がきらめいています。

すみれ色《いろ》のちぎれ雲《ぐも》がとんでいきます。

うさぎは、口笛《くちぶえ》を吹《ふ》きました。

ともちゃんは、歌《うた》をうたいました。

月《つき》の光《ひかり》の　マントを　着《き》れば
空《そら》とぶ　うさぎに　なれるのよ……

そうしてふたりは、どれほど空《そら》にうかんでいたでしょうか。いつか月《つき》は、西《にし》に

かたむき、東《ひがし》の空《そら》が、ほーっと白《しろ》くなりました。

「たいへんだ！　月《つき》がしずむ。」

と、うさぎがさけびました。

「月《つき》がしずんだら、このマントは消《き》えてしまうよ。それから、お店《みせ》のショーウインドーのガラスもふさがってしまうんだ。」

「エレベーターにもどりましょう。」

ともちゃんはふりむいて、エレベーターをさがしました。が、エレベーターは、もうどこにも見《み》えません。風《かぜ》にとばされてしまったのでしょうか。月《つき》の光《ひかり》にとけてしまったのでしょうか。影《かげ》もかたちもないのです。

「しかたがない。このままゆっくりおりていこう。ちゃんとついておいでよ。」

そういいながら、うさぎはゆっくりと下《した》へおりていきました。ともちゃんもおりていきます。ふたりのマントは、パラシュートのようになりました。

町《まち》のあかりが、だんだん大《おお》きく見《み》えてきました。たくさんのビルのあいだに、

白《しろ》い道《みち》が見《み》えます。公園《こうえん》が見《み》えます。橋《はし》が見《み》えます。時計塔《とけいとう》が見《み》えます。
「わたしの家《いえ》は、ほら、あそこよ。あのカーテンのかかっている窓《まど》。」

ともちゃんは、裏通《うらどお》りのアパートを指《ゆび》さしました。アパートの二階《かい》の窓《まど》には、白《しろ》いカーテンがゆれていました。

「そんなら、窓《まど》からはいればいい。そして、すぐベッドにもぐりこめばいい。」

と、うさぎがいいました。ふたりは、ずんずん下《した》へおりていきました。そして、ともちゃんは、アパートの窓《まど》からふわりと自分《じぶん》のベッドにとびおりたのです。

「さよなら、うさぎさん。」

ともちゃんは、うさぎに手《て》をふりました。うさぎも手《て》をふって、あの子《こ》ども服《ふく》の店《みせ》のほうへとんでいきました。

ところが、そのとちゅうで、うさぎはきゅうに体《からだ》が重《おも》くなり、すとんと地面《じめん》に落《お》ちてしまったのです。

「いたた……。」

道路《どうろ》におしりをぶつけて、うさぎは顔《かお》をしかめました。気《き》がつくと、もうマントはありません。

「たいへんだ。」

うさぎは、とびあがりました。

「たいへんだ。たいへんだんだ。月《つき》がしずんだんだ。ショーウインドーのガラス、ふさがってしまうぞ。」

それから、うさぎは走《はし》ったのです。だれもいない夜明《よあ》けの大通《おおどお》りを走《はし》って走《はし》って、走《はし》りつづけて……、やっとあの子《こ》ども服《ふく》の店《みせ》の前《まえ》にたどりつくと、ショーウインドーの中《なか》に、いきおいよくとびこもうとしました。ところが、
ガーン。

うさぎの体《からだ》は、ガラスにぶつかって、はねかえりました。そして、うさぎはそのまま気絶《きぜつ》してしまったのです。

まるい目《め》をぱっちりとひらいたまま、うさぎは、長《なが》いこと道路《どうろ》のまん中《なか》にたおれていました。たおれたうさぎの上《うえ》に、落《お》ち葉《ば》がこぼれました。それから、人《ひと》びとの足音《あしおと》、車《くるま》の音《おと》、店《みせ》のシャッターのひらく音《おと》、そして、それから雨《あめ》が……。

空《そら》は、いつのまにかうすねずみ色《いろ》の雲《くも》におおわれて、しとしとと、つめたい雨《あめ》が、道路《どうろ》をぬらしはじめたのです。うさぎは、だんだんぬれてゆき、そのそばをたくさんの人《ひと》のくつが通《とお》っていきました。ときどき、うさぎにつまずくくつもあります。うさぎの足《あし》をふみつけてゆくくつもあります。ちょっとのあいだに、うさぎはずいぶんきたなくなりました。

町《まち》の時計塔《とけいとう》の鐘《かね》が、朝《あさ》の九時《じ》をつげるころ、子《こ》どもの服《ふく》の店《みせ》があきました。そして、店《みせ》の人《ひと》が顔《かお》をだしたのです。店《みせ》の人《ひと》は、道路《どうろ》にたおれているうさぎを見《み》つけて、ひっくりかえるほどおどろきました。

「あら、まあ……。」

店《みせ》の人《ひと》は、道路《どうろ》にとびだしていって、うさぎをひろいあげました。それから、ショーウインドーを見《み》ながら、

「夜中《よなか》に、どろぼうがはいったのかしら……。」

そうつぶやいて、店《みせ》の中《なか》にはいっていきました。

それから、ほんの三十分間《ぷんかん》でショーウインドーの中《なか》は、すっかりもようがえになりました。

「いくらなんだって、あんなきたなくなったうさぎをかざるわけにはいかないもの。」

そういいながら、店《みせ》の人《ひと》は、ショーウインドーの中《なか》をすっかりかたづけました。そして、新《あたら》しい飾《かざ》りつけをしたのです。

ショーウインドーの中《なか》は、雪景色《ゆきげしき》になりました。あたたかそうなコートを着《き》た子《こ》どもの人形《にんぎょう》が、雪《ゆき》の上《うえ》にいく人《にん》もならべられました。子《こ》どもたちのそばには、小《ちい》さなそりが置《お》かれました。

それからまた三十分《ぷん》ほどたったころ、ショーウインドーの前《まえ》に、あの女《おんな》の子《こ》が、やってきました。女《おんな》の子《こ》は、赤《あか》いかさをさして、こっそりとやってきたのです。

女《おんな》の子《こ》は、ショーウインドーをひと目見《めみ》るなり、ぎょうてんしました。

（うさぎは？　ピアノは？　落《お》ち葉《ば》は……？　みんなどこへいってしまったの……。）

女《おんな》の子《こ》は、ショーウインドーをすみからすみまでながめまわし、のびあがって、そりの中《なか》までのぞきこみました。それから、ガラスをたたいて、大《おお》きな声《こえ》で呼《よ》んだのです。

「うさぎさん、うさぎさん」と。

その声《こえ》は、どんどん大《おお》きくなり、ガラスをたたく手《て》には力《ちから》がはいりました。

「うさぎさん、あたし、ともちゃんよ――。」

このときです。

「やめてちょうだい！　ガラスをたたくの。」

うしろで、大《おお》きな声《こえ》がしました。ふりむくと、店《みせ》の人《ひと》がこわい顔《かお》で立《た》っていました。ともちゃんは、二、三歩《ぽ》あとずさりして、それからおどおどとたずねました。

「うさぎ……、どこにいってしまったの」と。

店《みせ》の人《ひと》は、早口《はやくち》に答《こた》えました。

「ゆうべ、ショーウインドーにどろぼうがはいったらしいの。うさぎは、道路《どうろ》にほうりだされていたわ。」

「…………。」

「すっかり雨《あめ》にぬれて、とてもきたなくなってしまったわ。」

ともちゃんは、目《め》をまんまるにして、じっと店《みせ》の人《ひと》を見《み》つめました。すると、店《みせ》の人《ひと》は、ぽんと手《て》をたたいていったのです。

「そうだ。あのうさぎ、あんたにあげるわ。もういらないから。そのかわりね、もうほんとうにここにこないでね。ショーウインドーをたたいたり、よごされたりするの、とてもこまるのよ。」

女《おんな》の人《ひと》は、店《みせ》の中《なか》にかけこんで、あのうさぎを持《も》ってきました。

「もうこないって、約束《やくそく》してくれたら、これ、あげるわ。」

ともちゃんは、にっこりわらって、

「うん！　約束《やくそく》する。」

と、うなずきました。それから、よごれたうさぎを受《う》けとって、しっかりとだきました。

赤《あか》いかさの中《なか》で、ともちゃんは、うさぎの耳《みみ》に口《くち》をつけました。そして、ささやいたのです。

「うさぎさん、これからはずっといっしょよ。」

するとうさぎは、女《おんな》の子《こ》の腕《うで》の中《なか》でほっとあたたかくなり、こくんと小《ちい》さくうなずいたのでした。

安房直子（あわ なおこ）

東京都に生まれる。日本女子大学在学中より、
山室静氏に師事。大学卒業後、同人誌『海賊』に参加。
1982年、『遠い野ばらの村』（筑摩書房）で
野間児童文芸賞、1985年、『風のローラースケート』
（筑摩書房）で新美南吉児童文学賞、
1991年、『花豆の煮えるまで』でひろすけ童話賞を受賞。
1993年、肺炎により逝去。享年50歳。
没後も、その評価は高く、『安房直子コレクション』全7巻
（偕成社）が刊行されている。

えがしらみちこ

1978年 福岡県生まれ。静岡県三島市在住。
熊本大学教育学部卒業。
主な作品として、『あめふりさんぽ』『はるかぜさんぽ』（講談社）、
『なきごえバス』（白泉社）、『いろいろおしたく』（小学館）、
『あのね　あのね』（あかね書房）、『あなたのことがだいすき』
（KADOKAWA）など。『せんそうしない』『ありがとう』
（文・谷川俊太郎／講談社）、『あなたのすてきなところはね』
（文・玉置永吉／KADOKAWA）、『ようこそこどもの
けんりのほん』（文・子どもの権利・きもちプロジェクト／
白泉社）の絵を担当。また、雑誌や教科書などの挿絵も
手がけている。現在、静岡県三島市にある
絵本専門店「えほんやさん」代表も務めている。

本書に収録した作品テクストは、下記を使用しました。
『安房直子コレクション2 見知らぬ町ふしぎな村』（偕成社）

安房直子 絵ぶんこ③

空にうかんだエレベーター

2024年5月30日　初版発行

安房直子・文
えがしらみちこ・絵

発行所／あすなろ書房
〒162-0041　東京都新宿区早稲田鶴巻町551-4
電話03-3203-3350（代表）
発行者／山浦真一

装丁／タカハシデザイン室
印刷所／佐久印刷所
製本所／ナショナル製本

ISBN978-4-7515-3203-4　NDC913　Printed in Japan